„Ohne das Bittere ist das Süße nicht so süß“
(„Vanilla Sky“, 2001)

Impressum

Herausgeber und Autor: Mirko Reeh ®

Verlag: Kochweltverlag, Frankfurt am Main

Druck: Books on Demand, Norderstedt

ISBN: 978-3-938222-08-9

Coverfoto: Stock Food | Autoren Foto: Stefan Maka / Life Photo

Korrektur: Barbara Ochs

Korrigiert nach den derzeit gültigen Regeln der deutschen Rechtschreibung. Noch vorhandene Fehler dienen der Unterhaltung von Menschen, die gerne danach suchen.

1. Auflage 2006 ©

Mirko Reeh
Meine Desserts

Inhaltsverzeichnis

Vorwort

Liebe Dessertfreunde,

Ein gutes Dessert ist die Krönung eines gelungenen Menüs.

Nicht zu süß, nicht zu viel, nicht zu dominant sollte es sein, aber dennoch eine eigene Kreation, die gerne und lange auf der Zunge verbleiben möchte.

Eine Auswahl solcher Desserts aus meiner Küche möchte ich hier präsentieren, nicht aber ohne diesen Hinweis: Lassen Sie Ihre Phantasie spielen, wandeln Sie ab und erfinden Sie eigene Dessert-Schöpfungen. Ich habe bewusst auf Abbildungen verzichtet, damit Platz bleibt für eigene Dekorationsideen.

Durch meine Kochschulen in Frankfurt am Main und auf Ibiza haben mittlerweile tausende Teilnehmer die einfache und unkomplizierte Art des Kochens lieben und schätzen gelernt.

Ich wünsche viel Spaß beim Nachkochen!

Euer

Amarettinicreme mit Karamellsauce

Zutaten für 4 Personen | Zubereitungsdauer: 60 Minuten

Für die Amarettinicreme:

100 g Amarettini
250 g Ricotta
200 ml Sahne
6 Eigelb
6 EL Zucker
12 Blätter Gelantine
6 EL Milch

Für die Karamellsauce:

3 EL Zucker
50 ml Amaretto
200 ml Sahne

Zubereitung Creme:

Das Eigelb mit dem Zucker im Wasserbad cremig schlagen. Sahne steif schlagen. Die Gelatine im kalten Wasser einweichen. Die Amarettinis sehr fein bröseln.

Den Ricotta in die Zucker-Ei-Mischung geben und cremig rühren. Ebenso die steif geschlagene Sahne. Die eingeweichte Gelatine ausdrücken und in die zuvor aufgekochten Milch einrühren, dann unter die Massen heben und gut verrühren. Zum Schluss die Amarettinibrösel dazu geben. Im kalten Wasserbad so lange rühren, bis die Masse anfängt zu gelieren. Dann in Förmchen füllen und auskühlen lassen.

Zubereitung Karamellsauce:

Den Zucker in einem Topf heiß werden lassen, bis er karamellisiert. Mit dem Amaretto ablöschen, kurz köcheln lassen, bis sich der Zucker wieder aufgelöst hat. Danach die Sahne in die Mischung rühren, einmal aufkochen lassen und zu den Törtchen heiß servieren

Amaro-Zabaione

Zutaten für 4 Personen | Zubereitungsdauer: 20 Minuten

6 Eigelb
2 Eier
1 Vanillestange
240 g Zucker
80 ml Weißwein
80 ml Amaro (Kräuter-Digestive wie z.B. Ramazotti)

Zubereitung:

Eigelbe und ganze Eier mit dem Zucker sehr schaumig schlagen, das Mark der Vanillestange unterheben. Weißwein und Amaro hinzugeben und im Wasserbad cremig schlagen bis die Masse stockt und sich fast verdoppelt hat.

Die Zabaione kann in einem Rotweinglas serviert werden.

Mein Tipp:

Die Zabaione passt hervorragen zu frischen, in Balsamico marinierten Erdbeeren oder Vanilleeis.

Avocado-Eis mit rotem Pfeffer

Zutaten für 1,5 Liter Eis | Zubereitungsdauer: 45 Minuten

125 g Zucker
250 ml Wasser

4 Avocados
6 Eigelb
½ TL Chili, gemahlen
1 EL roter Pfeffer

250 g Crème fraîche
250 g Joghurt, 10 %

Zubereitung:

Zucker mit dem Wasser erhitzen, bis sich der Zucker komplett aufgelöst hat, etwas einkochen lassen, danach herunterkühlen, am besten mit Eiswürfeln im Wasserbad, oder ca. 30 Minuten stehen lassen.

Das Eigelb weißschaumig schlagen, dann den Zuckersirup einlaufen lassen. So lange weiter schlagen, bis die Masse sehr dick wird, wie bei Eischnee.

Avocados schälen, klein schneiden, ankochen mit etwas Wasser, danach fein pürieren.

Wenn alles vorbereitet ist, wird mit einem Schneebesen alles vorsichtig untergehoben. Entweder in eine Eismaschine geben oder in Portionsgläschen füllen und in den Tiefkühler stellen. Nach ca. 3 Stunden ist das Eis fest.

Bratapfel mit Haselnusskrokant, Parmesan und Balsamico

Zutaten für 4 Personen | Zubereitungsdauer: 50 Minuten

Für den Krokant:

500 g Haselnüsse, geröstet
500 g Zucker
10 EL Wasser
Öl
Pergamentpapier

Für die Bratäpfel:

4 große Äpfel
1/3 des Krokants
4 EL geschmolzene Butter

8 Spalten Parmesan
4 EL Balsamico

Zubereitung Haselnusskrokant:

Ein Backblech mit leicht geöltem Pergamentpapier auslegen. In einem kleinen flachen Topf Zucker mit Wasser erhitzen, dabei nicht rühren. Wenn sich Kristalle am Rand bilden, sie mit einem feuchten Pinsel abwaschen. Die Nüsse hinzufügen und den Topf vom Herd nehmen. Langsam rühren, bis der Zucker kristallisiert. Wieder auf die Herdplatte stellen und bei mittlerer Hitze kochen, bis der Zucker zu mittelbraunem Karamell geworden ist. Die vorbereitete Masse auf das Backblech streichen und kalt werden lassen. In kleine Stücke brechen und im Mixer grob hacken.

Zubereitung Bratäpfel:

Backofen auf 190 Grad vorheizen. Eine Auflaufform leicht ausbuttern. Die ungeschälten Äpfel quer halbieren und mit einem Melonenausstecher aushöhlen. Den Rand der Hälften mit einem scharfen Messer zickzackförmig einschneiden. Die Apfelreste sehr fein hacken und mit der geschmolzenen Butter und dem Haselnusskrokant mischen. In die Äpfelhälften füllen. Die Apfelhälften in die Auflaufform setzten und ca. 20 – 25 min backen. Nach dem Backen auf ein Drahtgitter setzen und etwas abkühlen lassen. Den Saft aus der Auflaufform mit dem Balsamico mischen und über den Bratapfel geben. Zum Schluss die Parmesanspalten auf den Apfel legen

Buttermilchmousse mit Amarenakirsch-Schokoladensauce

Zutaten für 4 Personen | Zubereitungsdauer: 60 Minuten

200 ml Buttermilch
200 ml Sahne
40 g Zucker
1 Zitrone, deren Saft und Schale
3 EL Amaretto
6 Blätter Gelantine

Eiswürfel
Salz

200 g Amarenakirschen
200 g Edelbitter-Schokolade

50 g Kirschen zur Dekoration

Zubereitung:

Zunächst die Gelatine im kalten Wasser einweichen. Die Buttermilch, den Zucker, die Schale und den Saft der Zitrone sowie den Amaretto verrühren. Die Sahne steif schlagen. In einer Kasserolle 3 EL Wasser erhitzen, dann von der Kochstelle nehmen und die zuvor eingeweichte Gelatine darin auflösen, die Buttermilchmischung hinzugeben und gut verrühren. Die Mischung in einen Schlagkessel geben, die geschlagene Sahne unterheben.

Kaltes Wasserbad vorbereiten: Eiswürfel in eine Schüssel geben, diese sollte größer sein als der Schlagkessel. Etwas Wasser sowie Salz hinzugeben. Den Schlagkessel mit der Buttermilchmischung in das Wasserbad stellen und die Mischung so lange mit einem Schneebesen verquirlen bis die Masse schön cremig und fest wird. Danach mit einem Teigschaber in der Schüssel glatt ziehen und in dem kalten Wasserbad ca. 20 Minuten ruhen lassen.

Für die Sauce die Kirschen in einer Stielkasserolle köcheln, danach grob pürieren. Die Schokolade in kleine Stücke schneiden und unter die Kirschen heben.

Zum Anrichten: Die Sauce in einen tiefen Teller geben, mit einem Eisportionierer Kugeln aus der Mousse stechen und jeweils 3 Kugeln mittig in die Sauce geben. Die Kirschen für die Dekoration rundherum drapieren.

Carpaccio von Ananas
mit Koriandersirup und Mango-Sorbet

Zutaten für 4 Personen | Zubereitungsdauer: 60 Minuten

1 Ananas

Für das Koriandersirup:

1 Bund Koriander
200 g Zucker
100 ml Wasser

Für das Mango-Sorbet:

2 Mangos
350 g Zucker
175 ml Wasser
10 g Zitronengras

Ganz wichtig: Die Ananas immer erst kurz vor dem Servieren aufschneiden, da sie sonst braun wird. Erst alles andere vorbereiten.

Zubereitung Koriandersirup:
Den Koriander sehr fein hacken. Zucker im Wasser auflösen und zum Kochen bringen, dann den Koriander hinzufügen und leicht köcheln lassen.

Zubereitung Sorbet:
Mangos werden klein geschnitten. Zucker mit dem Wasser mischen, aufkochen. Zitronengras sehr fein hobeln oder hacken, dann mit der Mango in den Zucker-Wasser-Sirup geben, aufkochen lassen. In eine Eismaschine geben und ca. 1 Stunde gefrieren lassen oder in Förmchen füllen und in den Tiefkühler stellen.

Zubereitung Ananas:
Die Ananas erst rund herum von oben nach unten schälen. Dann in hauchdünne Scheiben schneiden.

Anrichten:
Die Ananas auf einen großen Teller geben. Das Sorbet mit zwei Löffel mittig als Nocken darauf setzen. Dann etwas von dem Sirup rundherum geben.

Crema Catalana

Zutaten für 4 Personen | Zubereitungsdauer: 15 Minuten

Zutaten:
200 g Zucker
5 Eigelb
1 EL Speisestärke
1 Stange Zimt
1/2 Zitrone, deren Schale
500 ml Milch

Zubereitung:

Das Eigelb und 150 g des Zuckers werden schaumig geschlagen. Dann werden die restlichen Zutaten untergehoben. In einem Topf wird das Ganze zum Köcheln gebracht, bis die Masse anfängt zu stocken. Zimtstange entfernen. Danach in feuerfeste Förmchen geben, erkalten lassen. Vor dem Servieren wird der restliche Zucker auf die Crema gegeben und im Backofen mit Oberhitze, höchste Stufe, oder mit einem Brenner karamellisiert.

Mein Tipp:

Frisches Obst, leicht gesüßt und mit etwas Sekt mariniert, passt hervorragend zu Crema Catalana.

Creme Brúlée

Zutaten für 4 Personen | Zubereitungsdauer: 30 Minuten

280 ml Milch
300 g Crème fraîche
1 Vanillestange
6 Eigelb
80 g Zucker
Zucker zum Bestreuen

Zubereitung:

Milch und Crème fraîche in einem Topf mit der aufgeschnittenen Vanillestange zum Kochen bringen. In einer Schüssel werden die Eigelbe mit dem Zucker verrührt und schaumig geschlagen. Die Ei-Zuckermischung zur Milch-Crème-fraîche-Mischung geben und so lange rühren bis die Creme fest wird. Dann in feuerfeste Förmchen füllen. Mit Zucker bestreuen und unter einem Grill oder mit einem Brenner karamellisieren.

Feigen-Ingwer-Eis mit Pistazien

Zutaten für 4 Personen | Zubereitungsdauer: 30 Minuten

Für das Eis:

100 g Zucker
75 ml Wasser
4 Eigelb

8 getrocknete Feigen
2 EL kandierten Ingwer

oder

1 EL frisch geriebener Ingwer
80 g Pistazien
½ TL gemahlenen Zimt
1 Messerspitze Kardamom

300 ml Sahne
2 EL Kirschwasser

Für die Sauce:
150 g Zartbitterkuvertüre
1 Eigelb
1 EL Zucker
1 EL Kirschwasser
2 EL Balsamico

Zubereitung Eis:

Zucker im Wasser erhitzen, bis sich der Zucker komplett aufgelöst hat, etwas einkochen lassen, danach herunterkühlen.

Das Eigelb weißschaumig schlagen, dann den Zuckersirup einlaufen lassen. Die Feigen schön klein schneiden, dann mit allen weiteren Zutaten, außer der Sahne und dem Kirschwasser, in die Masse einarbeiten.

Sahne steif schlagen und mit dem Kirschwasser zuletzt in die Masse rühren. Alles in eine Eismaschine geben und kalt rühren lassen, oder mindenstens 24 Stunden in einer Form in den Tiefkühler stellen.

Zubereitung Schokoladen- Balsamico Sauce:

Ei, Zucker, Kirschwasser und Balsamico gut verrühren. Die Kuvertüre schmelzen. Dann beides vermischen und bei geringster Temperatur warm halten bis zum Servieren.

Frankfurter Bratapfelschmandkuchen

Zutaten für 4 Personen | Zubereitungsdauer: 30 Minuten

Für den Mürbeteig:

250 g Mehl
1 Prise Salz
150 g Butter
100 g Zucker
1 Eigelb

Für den Belag:

400 g Äpfel
4 – 6 EL Haselnusskrokant
2 – 3 TL Zimt

400 g Schmand
100 g Vanillezucker

Zubereitung:

Aus allen Zutaten wird ein lockerer Teig mit einer Küchenmaschine geknetet, der dann in eine ausgebutterte Form (26 ø) gebröselt und nur leicht andrücken wird.

Die Äpfel säubern, in dünne Scheiben schneiden und auf den Mürbeteig geben. Den Zimt mit einem Teesieb gleichmäßig verteilen, ebenfalls das Krokant gleichmäßig verteilen.

Im Backofen bei 180 Grad ca. 30 – 40 Minuten backen. Dann herausnehmen und abkühlen lassen.

Den Schmand mit dem Vanillezucker gut verrühren. Dann auf den fertigen Kuchen geben und im Kühlschrank ca. 3 Std. auskühlen lassen, bis die Schmandmasse fest geworden ist.

Gebackene Banane mit Kokoscreme

Zutaten für 4 Personen | Zubereitungsdauer: 15 Minuten

4 Bananen

Für den Teig:

120 g Mehl
20 g Backpulver
120 ml Kokosmilch
1/4 L Wasser
50 g Sesamsamen
50 g Kokosflocken
50 g Mandelsplitter
3 EL Zucker
1 Prise Salz

Für die Kokoscreme:

500 ml Kokoscreme
1 Pandanussblatt
125 g Zucker
2 TL Reismehl
1 gute Prise Salz

1 L Öl zum Frittieren

Zubereitung:

Die Banane erst schälen, danach in 4 gleichgroße Stücke schneiden.

Alle Zutaten für den Teig gut verrühren.

Das Öl sollte zum Frittieren schön heiß sein, am besten nimmt man einen Wok.
Die Bananenstücke im Teig wenden, dann im Öl goldbraun ausbacken. Wenn die Bananenstücke ausgebacken sind auf ein Küchenpapier geben, damit das überschüssige Öl abtropfen kann.

Die Kokoscreme wird mit dem Salz und dem Pandanussblatt erhitzt, dabei sollte sie nicht kochen, sondern bei mittlerer Temperatur gehalten werden. Das Reismehl wird mit etwas Wasser zu einer Paste verrührt und dann in die Kokoscreme gegeben. Erst wenn die Creme angedickt ist, wird der Zucker hinzugegeben, sonst verlier die Creme ihren Glanz. Vor dem Servieren unbedingt durch ein Haarsieb geben, damit das Pandanussblatt und kleine Klümpchen aufgefangen werden.

Die ausgebackenen Bananenstücke mit der Kokoscreme servieren.

Gebackenes Mousse von Panettone und Schokolade

Zutaten für 4 Personen | Zubereitungsdauer: 40 Minuten

200 g Panettone
50 ml weißen Dessertwein
100 g Zartbitter-Schokolade
4 Stücke Schokolade
30 g Butter
3 Eier
50 g Zucker
2 EL Puderzucker

Zubereitung:

Zunächst den Backofen auf 180 Grad vorheizen. Den Panettone würfeln, in eine große Schüssel geben und mit dem Dessertwein beträufeln.

Im Wasserbad die zuvor geriebene Zartbitter-Schokolade zum schmelzen bringen, dabei die Butter unterheben. Die Eier mit dem Zucker verquirlen und schaumig schlagen. Die Schokoladenmasse unter die Panettone-Würfel heben. Dann die Eier-Zuckermasse unterheben und verrühren, bis alles gut vermischt ist.
Auflaufförmchen mit Butter ausstreichen, dann mit etwas Zucker bestreuen und die Panettonemischung einfüllen. Jeweils ein Stück Schokolade in die Mischung drücken. Das ganze ca. 15 Minuten im Backofen garen.
Mit Puderzucker bestäuben und frische Früchte hinzugeben.

Gebratene Ananas nach thailändischer Art

Zutaten für 4 Personen | Zubereitungsdauer: 20 Minuten

1 Ananas
50 g Butter
2 EL Kokosraspeln
3 EL Limettensaft
6 EL Zucker

400 g cremigen Joghurt

Zubereitung:

Die Ananas schälen, Augen mit einem kleinen spitzen Messer entfernen. Die Ananas mittig halbieren, dann von oben herunter in ca. 2 cm breite Stücke schneiden. Butter in einem Wok erhitzen. Die Ananas hinzugeben und gut anbraten. Kokosraspeln, Zucker sowie den Limettensaft hinzugeben. Vermischen, bis sich der Zucker aufgelöst hat und die Ananas karamellisiert ist.

Alles dann auf einen cremig-dicken Joghurt geben.

Mein Tipp:

Um das Ganze aromatischer zu machen, kann man etwas Curcuma oder Zimt hinzufügen.

Geeiste Mascarponecreme mit dreierlei Saucen

Zutaten für 4 Personen | Zubereitungsdauer: 30 Minuten

Für die Mascarponecreme:

5 Eigelbe
3 EL Vanillezucker (3 Päckchen)
300 g Mascarpone

Für die Schokoladen-Espresso-Sauce:

150 g Edelbitterschokolade
125 ml Espresso
1 EL Zucker

Für die Karamellsauce:

1 EL Butter
2 EL Zucker
100 ml Sahne
3 EL Amaretto

Für die Erdbeer-Pernot-Sauce:

250 g Erdbeeren
3 EL Zucker
2 EL Pernot

Zubereitung Mascarponecreme:
Die Eigelb mit dem Zucker schaumig schlagen. Dann im Wasserbad so lange rühren bis die Masse anfängt zu stocken. Aus dem Wasserbad nehmen. Der Mascarpone wird untergehoben und so lange verrührt, bis eine sehr glatte Masse entsteht. Danach in Förmchen füllen und im Tiefkühler mind. 4 Stunden eisen.

Zubereitung Schokoladen-Espresso-Sauce:
Die Schokolade in kleine Stücke bröseln und im Espresso unter Zugabe von Hitze auflösen, mit dem Zucker abschmecken.

Zubereitung Karamellsauce:
Butter schmelzen, dann den Zucker hinzugeben. Unter ständigem Rühren braun werden lassen. Den Zuckerkaramell mit der Sahne ablöschen und kurz aufköcheln. Dann den Amaretto dazugeben und nochmals gut verrühren.

Zubereitung Erdbeer-Pernot-Sauce:
Den Zucker in einer Kasserolle erhitzen, bis er sich ganz aufgelöst hat. Dann mit dem Pernot ablöschen. Die Erdbeeren hinzugeben und kurz mitköcheln lassen. Danach sehr gut pürieren. Durch ein Haarsieb streichen, um die Kerne der Erdbeeren aufzufangen.

Die geeiste Creme wird in einen tiefen Teller gesetzt. Die drei Saucen werden nebeneinander um Creme gegeben.

Mein Tipp:

Alle drei Saucen können sowohl heiß als auch kalt gereicht werden.

Getrocknete Feigen in Cognac

Zutaten für 4 Personen | Zubereitungsdauer: 70 Minuten

20 getrocknete Feigen
800 ml Wasser
4 Gewürznelken
1 Orange, deren Schale
260 g Zucker
6 EL Cognac

250 g Marzipanrohmasse
Vanilleeis

Zubereitung:

Das Wasser, Zucker, Nelken und die Schale der Orange bei mittlerer Temperatur zum Kochen bringen. Köcheln bis sich der Zucker gelöst hat. Die Feigen dazugeben und weich köcheln. Dann aus dem Sirup nehmen und etwas auskühlen lassen. Mittig aufschneiden.
Den Cognac mit der Marzipanrohmasse verkneten, dann in die Feigen füllen und nochmals kurz in den Sirup geben. Danach gut abtropfen lassen.
Den Sirup bei mittlerer Temperatur köcheln lassen bis sich eine sämige Sauce daraus bildet. Durch ein Sieb passieren.

Zum Anrichten:
1 Vanilleeiskugel mittig auf einen tiefen Teller geben, 5 Feigen darum arrangieren und vom Sirup etwas rundherum träufeln.

Marinierte Erdbeeren

Zutaten für 4 Personen | Zubereitungsdauer: 15 Minuten

1 kg Erdbeeren
50 ml weißer Balsamico
6 EL Zucker

Zubereitung:

Die Erdbeeren säubern und in mundgerechte Stücke schneiden, danach in eine Schüssel geben. Den Balsamico und den Zucker unterheben und 30 Minuten kalt stellen, danach in ein Sieb geben und abtropfen lassen.

Mein Tipp:

Die Erdbeeren passen hervorragend zu Panna Cotta.

Minzecreme mit Caipirinha-Gelee

Zutaten für 4 Personen | Zubereitungsdauer: 15 Minuten

Für die Minzecreme:

300 ml Sahne
100 g Zucker
300 g Crème fraîche
10 Eigelb
50 g Minze, gezupft

Für den Caipirinha-Gelee:

4 Blätter Gelantine
50 ml Wasser
4 Limetten
10 cl Cachaça
4 EL braunen Zucker

Zubereitung Minzecreme:

Backofen auf 100 Grad vorheizen. Die Sahne mit dem Zucker aufkochen. Dann zur Seite stellen und 10 Minuten ziehen lassen

Die Sahne mit der Crème fraîche, den Eigelb und der Minze gut durchmixen, dann in kleine ofenfeste Schälchen geben und ca. 30 – 40 Minuten stocken lassen.

Zubereitung Caipirinha-Gelee:

Zuerst die Limetten vierteln und mit dem braunen Zucker zerdrücken. In einem Topf mit dem Wasser und dem Cachaça kurz ankochen. Durch ein Sieb geben und die zuvor eingeweichte Gelatine mit einem Schneebesen einrühren. Die Flüssigkeit in den Tiefkühler geben, damit die Masse fest wird.

Zum Anrichten:

Die gestockte Creme aus der Form auf einen Teller stürzen.

Dann das Gelee in einem hohen Gefäß mit einem Pürierstabes pürieren und kleine Kleckse auf die Creme geben.

Mirko Reehs Palatschinken mit Feigenmus

Zutaten für 4 Personen | Zubereitungsdauer: 30 Minuten

Für den Palatschinken:

8 Eier
200 ml Sahne
3 EL Mehl
2 EL Zucker

Für das Feigenmus:

6 frische Feigen
6 getrocknete Feigen
2 EL Zucker od. 2 EL Honig
3 EL Amaretto

Puderzucker
Öl zum Ausbacken

Zubereitung Palatschinken:

Für den Palatschinken die Eier mit dem Zucker schaumig schlagen, dann das Mehl mit unterheben. Die Sahne nach und nach einrühren.

Dann in Öl jeweils eine Suppenkelle der Teigmasse in einer beschichteten oder versiegelten Pfanne ausbacken.

Zubereitung Feigenmus:

Die frischen Feigen vom Stiel entfernen, dann klein schneiden und in einem Pürierbecher geben. Die getrockneten Feigen ebenfalls klein schneiden und zu den frischen Feigen geben, dann mit Amaretto auffüllen und gut pürieren.

Das Feigenmus kann warm oder auch kalt zubereitet werden.

Wenn der Palatschinken von einer Seite schön goldbraun ausgebacken ist, wenden und mit dem Feigenmus bestreichen. Ist die zweite Seite ebenfalls fertig, wird der Palatschinken eingerollt und mit etwas Puderzucker bestreut.

Orangensorbet

Zutaten für 4 Personen | Zubereitungsdauer: 15 Minuten

2 kg Orangen
120 g Zucker
2 EL Zitronensaft
1 TL Vanillezucker
6 EL Brandy

farbigen Sirup
Zucker

Zubereitung:

Die Orangen filetieren. Beim Filetieren den abtropfenden Saft in einer Schüssel auffangen. Die Filets hinzugeben. Alle anderen Zutaten ebenfalls in die Schüssel geben und gut durchpürieren. Dann in eine Schüssel geben und im Gefrierschrank 3 Stunden durchfrieren.

Für die Dekoration wird auf einem Teller der Sirup gegeben und auf einen zweiten Teller der Zucker. Das Servierglas immer erst in den Sirup tauchen, dann in den Zucker.

Die geeiste Masse mit einem Pürierstab etwas zerkleinern und in Gläser füllen.

Schokoladen-Zabaione mit Marshmallows

Zutaten für 4 Personen | Zubereitungsdauer: 30 Minuten

6 Eigelb
2 Eier
1 Vanillestange
120 g Zucker
160 ml Süßwein oder Weißwein
100 g Schokolade, fein gerieben
12 Marshmallows

Zubereitung:

Das Eigelb und die Eier werden mit dem Zucker schaumig schlagen. Das Mark der Vanillestange unterheben. Den Süßwein oder Weißwein hinzugeben und im Wasserbad cremig schlagen, bis die Masse stockt und sich etwa verdoppelt hat. Zum Schluss die fein geriebene Schokolade unterheben. In einen tiefen Teller die Marshmallows anrichten, die Zabaione darüber geben.

Safran-Grießtörtchen in Süßwein-Zabaione

Zutaten für 4 Personen | Zubereitungsdauer: 40 Minuten

Für die Grießtörtchen:

150 g Quark, 20 %
50 g Grieß
1/2 Zitrone, unbehandelt
125 ml Milch
1 Döschen Safran
3 Eigelb
3 Eiweiße
1 EL Zucker

Für die Zabaione:

3 Eigelb
1 Ei
1 Vanillestange
120 g Zucker
80 ml Süßwein

Kakaopulver
Puderzucker

Zubereitung Grießtörtchen:

Schritt 1:
Die Milch mit dem Safran aufkochen, den Grieß einrühren und einige Minuten köcheln lassen. Danach zur Seite stellen.

Schritt 2:
Das Eigelb mit dem Quark gut verrühren, danach mit dem Zitronensaft und der abgeriebenen Schale der Zitrone würzen.

Schritt 3:
Das Eiweiß mit dem Zucker zu einer cremigen Masse schlagen.

Dann alle drei Komponenten zusammen bringen und gut verrühren. In Förmchen oder Espressotassen füllen. Ein Backblech mit etwas Wasser auffüllen und die Förmchen bzw. die Espressotassen so darauf stellen, dass sie ein Drittel im Wasser stehen. Das ganze ca. 25 Minuten bei 180 Grad pochieren.

Zubereitung Süßwein-Zabaione:
Die Eigelb und das ganze Ei mit dem Zucker schaumig schlagen, das Mark der Vanillestange unterheben. Den Süßwein hinzugeben und im Wasserbad cremig schlagen, bis die Masse stockt und sich etwa verdoppelt hat.

Zum Anrichten:
Die Törtchen aus der Form stürzen und auf einem flachen Teller anrichten. Die Zabaione darüber und rundherum geben. Mit Kakaopulver und Puderzucker dekorieren.

Schokoladenkuchen mit Pflaumen

Zutaten für 4 Personen | Zubereitungsdauer: 45 Minuten

1 kg Pflaumen
(davon 250 ml Pflaumenpüree
und 250 ml Pflaumensaft oder 250 ml Wasser)
1 Tasse Kakaopulver
½ Tasse brauner Zucker
1 ½ TL Backpulver
150 ml Buttermilch
250 g Mehl

2 Eiweiße
1 Päckchen Vanillezucker
Pflaumen zum Garnieren

Salz

Zubereitung:

Pürieren Sie etwa 1 kg Pflaumen. 250 ml messen Sie für das Püree ab und den Rest passieren Sie, damit Sie den Saft bekommen.
Vermengen Sie in einer großen Schüssel alle Zutaten zu einem glatten Teig, geben Sie eine Prise Salz hinzu. Backen Sie den Kuchen bei 180 - 200 Grad ca. 30 – 40 Minuten.
Zum Garnieren nehmen Sie etwas Puderzucker und Pflaumen.

Mein Tipp:

Füllen Sie den Teig in Muffin-Formen.

Süße Mandelsuppe

Zutaten für 4 Personen | Zubereitungsdauer: 30 Minuten

150 g geschälte Mandeln
800 ml Milch
200 ml Sahne
125 g Zucker
1 Vanillestange
1 Stange Zimt
2 EL Stärke

Zubereitung:

Die geschälten Mandeln werden in einer trockenen Pfanne geröstet.

Dann werden die Milch, der Zucker, die aufgeschnittene Vanillestange und der Zimt zum Kochen gebracht. Die Sahne wird mit der Stärke verquirlt und zu der Suppe gegeben.

Nach einem weiteren Aufkochen werden der Zimt und die Vanillestange herausgenommen und die gerösteten Mandeln hinzu gegeben. Wieder aufkochen lassen und dann mit einem Pürierstab pürieren, bis die Mandeln ganz fein und die Suppe cremig ist.

Die Suppe kann sowohl warm als auch kalt gegessen werden.

Mein Tipp:

Zur kalten Suppe passt hervorragend Vanilleeis.

Süßes Basilikum-Minzepesto auf Vanilleeis

Zutaten für 4 Personen | Zubereitungsdauer: 45 Minuten

Für das Pesto:

50 g Minzeblätter
50 g Basilikumblätter
100 g Nüsse oder Pinienkerne
4 EL Honig
80 – 100 ml Olivenöl

Für das Vanilleeis:

6 Eigelb
100 g Zucker
500 ml Sahne
2 Vanilleschoten

Zubereitung Pesto:
Die Nüsse oder Pinienkerne zunächst in einer trockenen Pfanne goldbraun rösten. Die Minzeblätter und Basilikumblätter fein hacken. Die restlichen Zutaten mit den gehackten Kräutern in ein hohen Pürierbecher geben und vorsichtig pürieren.

Zubereitung Vanilleeis:
Das Mark der Vanilleschoten herausstreichen und mit dem Eigelb und dem Zucker sehr schaumig schlagen, bis die Masse hell wird.

Sahne steif schlagen und unter die Zuckermischung heben. In Förmchen füllen und mind. 2 bis 3 Stunden im Eisfach auskühlen lassen.

Zum Anrichten:
Das Eis aus den Förmchen stürzen, das Pesto darauf anrichten.

Mein Tipp:

Statt der Minze und des Basilikums kann ebenso Waldmeister oder auch Pimpinelle genommen werden.

Süße Mangocreme

Zutaten für 4 Personen | Zubereitungsdauer: 90 Minuten

1 Mango
200 g Sahne
1 Zitrone, deren Schale

etwas Zucker

Zubereitung:

Die Mango schälen, in kleine Stücke schneiden und pürieren. Die Sahne steif schlagen und unter die Mangomasse heben. Die Zitronenschale ebenfalls unterheben. Mit etwas Zucker abschmecken.

Süßwein-Zabaione mit Balsamico und Parmesan

Zutaten für 4 Personen | Zubereitungsdauer: 30 Minuten

6 Eigelb
2 Eier
1 Vanillestange
120 g Zucker
160 ml Süßwein

3 EL dunkler Balsamico
Parmesan

Zubereitung:
Das Eigelb und die Eier werden mit dem Zucker schaumig schlagen. Das Mark der Vanillestange unterheben. Den Süßwein hinzugeben und im Wasserbad cremig schlagen, bis die Masse stockt und sich etwa verdoppelt hat.

Mit einer Pipette den Balsamico darauf träufeln und etwas frisch gehobelten Parmesan darüber geben.

Tipsy Tarte

Zutaten für 4 Personen | Zubereitungsdauer: 50 Minuten

Für die Tarte:

125 g Butter
125 g Zucker
1 Ei
125 g Weizenmehl
1 TL Backpulver
1 Prise Salz
125 ml kochendes Wasser
125 g getrocknete Datteln
60 g gehackte Walnüsse

Für das Sirup:

190 g Zucker
125 ml Wasser
1 TL Butter
1 Vanilleschote

100 ml Cognac

Zubereitung Tarte:
Butter mit Zucker und Ei schaumig schlagen. Datteln und Walnüsse fein hacken, dann nach und nach alle Zutaten zur Zucker-Butter-Ei-Mischung geben. Das Ganze gut verkneten. In Förmchen füllen und bei 160 Grad 40 - 50 Min backen.

Zubereitung Sirup:
Zucker, Wasser und Butter 15 Minuten köcheln. Vanilleschote auskratzen und in die Mischung geben, danach den Cognac.

Die noch warmen Törtchen mit dem Sirup mehrfach übergießen, bis sie vollständig mit Sirup getränkt sind.

Tarta di Limone

Zutaten für 4 Personen | Zubereitungsdauer: 70 Minuten

Für den Boden:

250 g Mehl
1 Prise Salz
150 g Butter
100 g Zucker
1 Eigelb
Butter für die Form

Für die Füllung:

2 Eier
6 Eigelb
150 g Zucker
4 Zitronen, deren Schale und deren Saft

400 g Crème fraîche

Zubereitung Boden:
Aus den Zutaten für den Mürbeteig wird ein fester Teig geknetet. Nach 30 Minuten Ruhezeit wird der Teig in die Kuchenform gebröselt und leicht angedrückt.

Zubereitung Füllung:
Für die Füllung wird der Zucker mit den Eiern und dem Eigelb schaumig geschlagen. Die Zitronen werden abgerieben. Dann den Saft aus den Zitronen pressen. Den Zitronensaft zur Zucker-Ei-Mischung geben, ebenfalls die abgeriebene Schale. Zum Schluss wird die Crème fraîche hinzu gegeben.
Backofen auf 180 Grad Umluft oder bei Ober-Unterhitze auf 200 Grad vorheizen.

Der Teig wird in eine Runde gedrückt, dabei wird ein Rand ca. 4 cm hoch geformt. Der Boden wird 20 Minuten vorgebacken.

Dann wird die Füllung auf den vorgebackenen Boden gegeben. Der Backofen wird bei Umluft auf 160 Grad, bei Ober-Unterhitze auf 170 Grad reduziert. Mit der Füllung 40 Minuten backen. Anschließend abkühlen lassen und ca. 2 Stunden in den Kühlschrank stellen.

Topfen-Knödel

Zutaten für 4 Personen | Zubereitungsdauer: 50 Minuten

Für die Knödel:

300 g Magerquark
2 Eier
2 Eigelb
1 Vanilleschote, deren Mark
50 g Zucker
10 g Butter
Semmelbrösel

Für die Aprikosenfüllung:

4 getrocknete Aprikosen

Für die Feigenfüllung:

6 getrocknete Feigen

Für die Mohnfüllung:

30 g Mohn
3 EL Butter
30 g Zucker
1 EL Rum
3 bis 5 EL Semmelbrösel

Zubereitung Knödel:
Zucker, Eier, Eigelb und Butter in einer Rührschüssel mit einem Schneebesen cremig schlagen. Den Quark nach und nach hinzufügen, ebenfalls das Mark der Vanilleschote. Mit den Semmelbröseln wird das Ganze abgebunden und zu einer homogenen formbaren Masse geknetet.

Zubereitung der Füllungen:
Die Aprikosen sowie die Feigen werden getrennt von einander sehr fein gehackt und in kleinen Schüsseln beiseite gestellt.

Die Mohnfüllung ist etwas aufwendiger: Den Mohn in einer Stielkasserolle anrösten, dann die Butter, den Zucker und den Rum hinzugeben. Mit den Semmelbröseln binden.

Füllen der Knödel:
Etwas Knödelmasse auf eine Handfläche legen, flachdrücken, dann etwa erbsengroß von einer der Füllungen darauf geben. Die Knödelmasse überlappen und mit leicht angefeuchteten Händen rund drehen. Im siedenden Wasser ca. 10 bis 15 Minuten köcheln lassen. Kommen die Knödel an die Wasseroberfläche, kurz verharren lassen, danach herausnehmen und kurz abkühlen lassen.

Mein Tipp:

Hierzu passt hervorragen eine Süßwein-Zabaione.

Walnussparfait

Zutaten für 4 Personen | Zubereitungsdauer: 50 Minuten

Für das Parfait:

160 g Zucker
120 g Walnusskerne
6 Eigelb
50 g Honig
1 Vanilleschote
600 ml Sahne
4 EL Wasser
4 Blätter Gelantine

Für die Erdbeersauce:

250 g Erdbeeren
60 g Zucker

8 Minzeblätter
50 g Kuvertüre

Zubereitung Parfait:

In einem Topf 80 g Zucker schmelzen, danach die Walnusskerne hinein geben und karamellisieren. Dann auf ein mit Pergamentpapier ausgelegtes Blech geben. Wenn die Walnusskerne erkaltet sind, fein hacken.
Die Eigelbe, den Honig sowie den restlichen Zucker in eine Schlagschüssel geben und cremig rühren. Das Mark der Vanilleschote dazugeben. Im Wasserbad solange schlagen, bis die Masse anfängt zu stocken. Dann aus dem Wasserbad nehmen, die gehackten Walnüsse sowie die zuvor geschlagene Sahne vorsichtig unterheben. Ist die Masse glatt gerührt, kommt die zuvor eingeweichte und mit heißem Wasser gelöste Gelatine dazu. Dann in eine Pastetenform oder in Förmchen geben.

Zubereitung Erdbeersauce:

Die Erdbeeren pürieren, dann durch ein Haarsieb ziehen. Den Zucker karamellisieren und das Erdbeerpüree unterheben.
Für die Dekoration die Kuvertüre auflösen, die Minzeblätter kurz hineinhalten, abtropfen lassen und auf Pergamentpapier zum erkalten geben.

Das Parfait in 1 cm Stücke aufschneiden, zwei Stücke davon mittig auf einem großen Teller anrichten, die heiße Erdbeersauce locker darauf geben und mit zwei Minzeblättern garnieren.

Wildbeerenmousse

Zutaten für 4 Personen | Zubereitungsdauer: 15 Minuten

500 g Wildbeeren, frisch oder tiefgefroren
160 g Zucker
80 ml Wasser
etwas Zitronensaft
8 Blätter Gelatine
200 g geschlagene Sahne

Zubereitung:

Die Wildbeeren mit einem Pürierstab pürieren.
Aus dem Zucker und dem Wasser durch Aufkochen Zuckersirup herstellen. Den Sirup unter die Beeren heben und mit etwas Zitronensaft abschmecken. Die Masse passieren.

Die Gelatine im kalten Wasser quellen lassen. 2 EL vom Wildbeerenpüree in einem Topf erhitzen und die Gelatine mit einem Schneebesen unterrühren, dann unter das Püree geben.

Zum Schluss die geschlagene Sahne vorsichtig unterheben und in eine mit Folie ausgelegte Form geben oder direkt in Gläser füllen.

Zum Festwerden die Mousse einige Stunden in den Kühlschrank geben.

Zabaione von Himbeergeist

Zutaten für 4 Personen | Zubereitungsdauer: 15 Minuten

6 Eigelb
2 Eier
1 Vanillestange
240 g Zucker
80 ml Himbeergeist
80 ml Weißwein

Zubereitung:

Die Eigelbe und die ganzen Eier mit dem Zucker schaumig schlagen, das Mark der Vanillestange unterheben. Den Himbeergeist sowie der Weißwein hinzugeben und im Wasserbad cremig schlagen, bis die Masse stockt und sich etwa verdoppelt hat.

Mein Tipp:

Die Zabaione kann in einem Rotweinglas serviert werden.

Zitronenmousse mit Karamellsauce

Zutaten für 4 Personen | Zubereitungsdauer: 20 Minuten

Für die Mousse:

5 Eiweiße
5 gehäufte EL Zucker
1 Prise Salz
abgeriebene Schale von 2 Zitronen
2 EL Zitronensaft
4 Blätter Gelantine
2 EL Milch

Für die Karamellsauce:

1 EL Butter
2 EL Zucker
100 ml Sahne
3 EL Amaretto

Zubereitung Mousse:

Die Eiweiße steif schlagen, dabei den Zucker hinzurieseln lassen, die Salzprise zufügen. Die Gelatine einweichen, in der heißen Milch auflösen und unter die Eiweißmasse ziehen.

Dann die Eiweiß-Zitronenmasse in eine mit Klarsichtfolie ausgelegte Kastenform füllen.

Die Masse glatt streichen und im Kühlschrank ca. 2 – 3 Stunden auskühlen lassen.

Zubereitung Karamellsauce:

Für die Karamellsauce wird zuerst die Butter geschmolzen. Dann den Zucker hinzugeben und unter ständigem Rühren braun werden lassen. Den Zuckerkaramell mit der Sahne ablöschen und kurz aufköcheln. Dann den Amaretto dazugeben und nochmals gut verrühren.

Zum Servieren die Mousse in Scheiben schneiden und etwas von der Karamellsauce darüber geben.

Weitere Bücher von Mirko Reeh

Bereits erschienen

Kulinarische Reise

Genießen Sie eine kulinarische Reise mit Mirko Reehs Rezepten. Italien, seine Lieblingsküche, seinem Lieblings-Reiseziel Spanien, der Heimat Deutschland, der genussvollen Küche Frankreichs und dem fernen Asien.

ISBN: 3 – 938222 – 00 – X

Vorspeise, Hauptgang, Mord

Aus dem Leben eines Koches, der per Zufall in einen Mord verwickelt wird. Roman und Kochbuch zugleich.

ISBN: 3 - 938222 - 01 - 8

Vorankündigung:

Im Kühlhaus hängen Leichen besser

Nach dem sensationellen Erfolg des ersten Krimis *„Vorspeise, Hauptgang, Mord“* kommt nun die Fortsetzung von Justus und seinen Freunden.

Justus, der mittlerweile sehr erfolgreich ein Restaurant in Frankfurt betreibt, wird eines Morgens von der Polizei überrascht. Die Kommissarin eröffnet ihm, dass in seinem Kühlhaus eine Männerleiche hängt. Wer ist dieser Mann und wie ist er in das Kühlhaus gekommen?

VÖ: März 2007